KENSHIN
LE VAGABOND

NOBUHIRO WATSUKI

KENSHIN LE VAGABOND
TITRE ORIGINAL : "RUROUNI KENSHIN"
© 1994, by Nobuhiro Watsuki
All rights reserved.
First published in Japan in 1994 by SHUEISHA INC., Tokyo
French translation rights in France arranged by SHUEISHA INC.

- Edition française -
Traduction : Kodachiko Kureru
Adaptation graphique : Vincent Léone / Bakayaro!
Lettrage : Bakayaro!
© 2001, Editions Glénat
BP 177, 38008 GRENOBLE CEDEX.
Domaine d'application du présent copyright
France, Belgique, Suisse, Luxembourg, Québec
ISBN : 2.7234.3616.0
ISSN : 1253.1928
Dépôt légal : août 2001

Imprimé en France par Maury-Eurolivres
45300 MANCHECOURT

ろろに剣心

VOLUME 19
L'ILLUSION ET LA RÉALITÉ

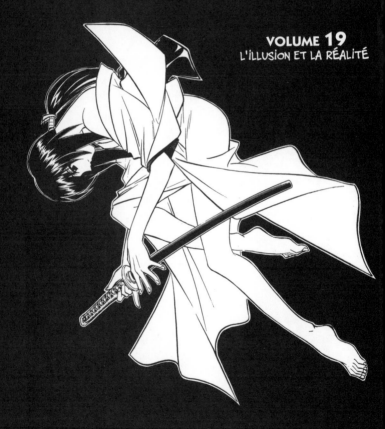

CHRONIQUE D'UN EXPERT EN SABRE À L'ÈRE MEIJI
DE NOBUHIRO WATSUKI

PERSONNAGES PRINCIPAUX

KAORU KAMIYA

KENSHIN HIMURA (BATTOSAÏ L'ASSASSIN)

SANOSUKÉ SAGARA

TSUBAMÉ SANJÔ

YAHIKO MIYÔJIN

ENISHI YUKISHIRO

HYÔKO OTOWA   BANJIN INUI

RÉSUMÉ DES ÉPISODES PRÉCÉDENTS

BATTÔSAÏ L'ASSASSIN, LE PLUS LÉGENDAIRE DES PATRIOTES
AYANT CONTRIBUÉ À LA RESTAURATION MEIJI, S'INTERDIT
À PRÉSENT DE TUER ET PORTE UN SABRE À LAME INVERSÉE.

APRÈS UNE DURE BATAILLE, KENSHIN ET LES AUTRES ONT RÉUSSI
À ARRÊTER LES AMBITIONS MALÉFIQUES DE CONQUÊTE DE SHISHIO.
LA MAIN DE SANO N'ÉTAIT PAS ENCORE GUÉRIE, MAIS NOS HÉROS
VIVAIENT DES JOURS TRANQUILLES, DE RETOUR AU DÔJÔ KAMIYA.
CEPENDANT LA PAIX NE FUT PAS LONGUE, CAR DES INDIVIDUS EMPLIS
DE HAINE ENVERS BATTÔSAÏ DÉCIDÈRENT DE SE RÉUNIR AUTOUR
D'ENISHI YUKISHIRO REVENU DE SHANGHAI. ALORS QUE NOS AMIS
S'APPRÊTAIENT À FÊTER LEURS VICTOIRE ET RETOUR AVEC UN BANQUET
CHEZ AKABEKO, KENSHIN MANQUE DE PEU DE RENCONTRER UN HOMME
DONT IL A COUPÉ LE BRAS DANS LE PASSÉ ! CE SOIR-LÀ, L'AKABEKO
EST DÉTRUIT PAR UN COUP DE CANON ARMSTRONG, TIRÉ DU MONT
UENO. ET EN HAUT DE CELUI-CI, ON RETROUVA UN PAPIER PORTANT
L'INSCRIPTION "JINCHÛ", LA "VENGEANCE HUMAINE"...

LA POLICE PENSE QU'ILS S'AGIT D'UN ACTE DE MÉCONTENTS
CONTRE LE GOUVERNEMENT, MAIS EN REPENSANT À L'HOMME QUI ÉTAIT
À L'AKABEKO CET APRÈS-MIDI KENSHIN COMPRIT QUE DES PERSONNES
AVIDES DE VENGEANCE ÉTAIENT APPARUES, AFIN DE LUI FAIRE SUBIR
DE LEURS PROPRES MAINS LE CHÂTIMENT POUR SES CRIMES. KENSHIN ET
SANOSUKÉ SE SONT PRÉPARÉS AU COMBAT TOUT EN ESSAYANT D'ÉVITER
À KAORU ET LES AUTRES DE PRENDRE CONNAISSANCE DE CELUI-CI, MAIS
LES NOUVELLES ARRIVÈRENT, PORTÉES PAR D'AUTRES VENTS. L'ATTAQUE
SE FIT SUR DEUX FRONTS, AVEC BANJIN INUI AU DÔJÔ MAEKAW OÙ KAORU
ALLAIT DONNER DES COURS, ET HYÔKO OTOWA CHEZ LE COMMISSAIRE
URAMURA, UN BON AMI DE KENSHIN ET DES AUTRES. ALORS QUE KENSHIN SE
DIRIGEAIT VERS LA MAISON DU COMMISSAIRE, SANO ARRIVA JUSTE POUR VOIR
LA SCÈNE DÉSASTREUSE DANS LE DÔJÔ MAEKAWA, ET AFFRONTER BANJIN !

KENSHIN
LE VAGABOND

TABLE DES MATIÈRES

KENSHIN LE VAGABOND,
CHRONIQUE D'UN EXPERT EN
SABRE À L'ÈRE MEIJI

VOLUME 19

●

SCÈNE 159

L'INVINCIBLE
CARAPACE
D'ACIER

* BANJIN
INUI

12

HÉ HO ! C'EST DÉJÀ FINI ?!

EFFEC-TIVEMENT...

...AVANT DE T'ATTEINDRE IL FAUT DÉTRUIRE CETTE CARAPACE.

MAIS EN ES-TU CAPABLE ? !

C'EST BIEN ÇA !!

DE PLUS, AVEC SON ÉPAISSEUR DE 1 SUN 7 BU*, NULLE BALLE NE PEUT LA TRAVERSER !!

GRÂCE À LA DISPOSITION DE SES ÉCAILLES, NUL SABRE, AUSSI CÉLÈBRE SOIT-IL NE PEUT RIEN CONTRE ELLE...

* 1 SUN = 10 BU = 3 CM

LE STYLE DE COMBAT DE L'ÉCOLE DE L'INVINCIBILITÉ, MUTEKI RYÛ !!!

ET DERRIÈRE CETTE CARAPACE SONT RÉUNIES TOUTES LES TECHNIQUES DE COMBAT D'EST EN OUEST, D'HIER ET D'AUJOURD'HUI

QUAND LE MAÎTRE PERD, LES GENS PENSENT QUE LE DISCIPLE AUSSI EST UN PERDANT... JE NE SUPPORTE PAS ÇA.

BOF...

C'EST DONC À CAUSE DE LUI QUE TU VEUX AFFRONTER KENSHIN ?

BLOP

HY HY

...ET DONC, QUE CE SOIT MON MAÎTRE OU QUI QUE CE SOIT, JE N'AI NI PITIÉ NI SYMPATHIE POUR LES LOSERS !!

JE N'AI PLAISIR EN RIEN D'AUTRE QUE LE COMBAT ET LA VICTOIRE...

AH BON...?

J'Y VAIS TOUJOURS DROIT DEVANT !

JE ME DISAIS QUE S'IL S'AGISSAIT D'UNE TRISTESSE PROFONDE, IL ME FAUDRAIT LAISSER À KENSHIN LE COMBAT FINAL.

JE DOIS DIRE QUE ÇA ME RASSURE D'ENTENDRE ÇA. JE ME DEMANDAIS QUEL ÉTAIT LE DEGRÉ DE FOLIE QUE NOUS POUVIONS ATTEN- DRE DE CES NOUVEAUX ENNEMIS !

SCÈNE 160
●
L'ARME HUMAINE DES TÉNÈBRES

QUI VOULEZ-VOUS VENGER...

J'AI UNE QUESTION.

...AVEC MA MORT ?

AH, ÇA...

...

C'ÉTAIT QUELQU'UN DE BIEN.

CE NE SERAIT PAS CHARITABLE DE T'ENVOYER DANS L'AUTRE MONDE SANS TE L'APPRENDRE...

JE VAIS TE LE DIRE. C'ÉTAIT UN AMI INTIME.

LES NUITS OÙ NOUS PARIIONS SUR LEQUEL DE NOUS TUERAIT LE PLUS DE MONDE ÉTAIENT DIVERTISSANTES...

EXACTEMENT !

VOUS N'AVEZ PAS NON PLUS MENÉ UNE EXISTENCE TRÈS HONORABLE...

MAIS CELA NE CHANGE PAS VOTRE DÉSIR DE VENGEANCE, N'EST-CE PAS ?

TU ES SANS AUCUN DOUTE MON ENNEMI !!

OU DEVRAI-JE D'ABORD EN FINIR AVEC LES QUATRE, DERRIÈRE AVEC MON BAIKA CHŪZEN ?

ALLEZ, ARRÊTE D'HÉSITER !

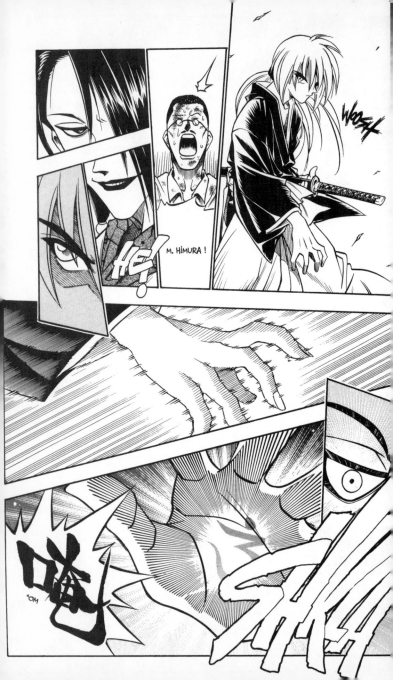

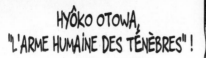

HYÔKO OTOWA, "L'ARME HUMAINE DES TÉNÈBRES" !

JE SUIS CAPABLE D'ABATTRE N'IMPORTE QUEL GUERRIER, GRÂCE AUX TREIZE ARMES CACHÉES PARTOUT DANS MON CORPS !!

JE RÉFLÉCHISSAIS À UNE ARME CACHÉE...

LAISSONS DE CÔTÉ LES PETITES ARMES TIRANT DES PROJECTILES...

C'EST VOUS...

PFF...

C'EST BIEN ÇA. MA SPÉCIALITÉ N'EST NI LE SABRE NI LES ARTS DE LUTTE DIVERS...

...MAIS TOUTES LES ARMES SECRÈTES.

34

CECI EST...

IL TE RENDRA JUSTE PARALYSÉ DES BRAS ET JAMBES PENDANT QUATRE À CINQ MINUTES.

MALGRÉ SON NOM DE POISON IL N'EST PAS MORTEL...

C'EST UNE AUTRE ARME SECRÈTE, LE "NUAGE DE POISON DES COURS D'EAU".

UN NUAGE DE POISON !!

J'AURAIS VOULU TE MONTRER ENCORE DEUX OU TROIS ARMES DONT JE SUIS FIER...

...MAIS MALHEUREUSEMENT C'EST L'HEURE DE LA "VENGEANCE HUMAINE".....

...CETTE CARAPACE PEUT ARRÊTER MÊME LES BALLES !

C'EST BIEN ÇA...

!

HÉHÉ

SCÈNE 161

●

LES QUESTIONS APPARAISSENT

SHPANN

RECULE !

C'EST L'HEURE DE LA "VENGEANCE HUMAINE".

L'HEURE DE LA VENGEANCE HUMAINE ?... NON, PLUS IMPORTANT QUE ÇA...

...UNE PERSONNE VIENT DE SORTIR DE L'INTÉRIEUR D'UNE AUTRE !!

PFFF !

PAK

DA...

HYA !

C'EST
FINI POUR
AUJOURD'HUI !
REMERCIE-MOI
DE T'ÉPARGNER !

HA !
HA !

...TU N'AS
PAS PU
AVOIR TA
VICTOIRE
ADORÉE !

QUE
C'EST
DOMMAGE
...

...DRÔLE DE
FAÇON
DE RE-
RACON-
TER LES
CHOSES.

QU'EST-
CE QUE
TU DIS
?...

HÉ !

PUISQUE VOUS NE VOUS DÉSISTEREZ PAS TANT QU'ON NE SE SERA PAS ENTRE-TUÉS...

QU'EST-CE QU'IL RACONTE ? C'EST ÉVIDENT, NON ?

"SI ON SE REVOIT" ?

ÇA A L'AIR D'ÊTRE COMME UNE NOIX...

MAIS D'AILLEURS, C'EST QUOI CE TRUC ?

B/4

B/4

惡

夷

...

TOHH!

ILS N'ONT AUCUNE INTENTION D'ABANDONNER !

JE COMPRENDS MIEUX, MAINTENANT !

LEUR STRATÉGIE EST DE TOUT EXPLOSER SANS DIRE OUF !

FLÛTE, C'EST COMME POUR L'AKABEKO...

ET DE L'AUTRE CÔTÉ... JUSTE UNE ÉRAFLURE SUR UNE PROTECTION MÉTALLIQUE...

L'AKABEKO A ÉTÉ COMPLÈTEMENT DÉTRUIT, ET LE DÔJÔ MAEKAWA L'EST À MOITIÉ... LES BLESSÉS PLUS OU MOINS GRAVES SONT NOMBREUX...

...EN FAIT, CE N'ÉTAIT PAS DU TOUT "UNE FAÇON DE RE-RACONTER LES CHOSES"...

L'AUTRE MOUCHETÉ EST TROP BÊTE POUR S'EN ÊTRE RENDU COMPTE, MAIS...

UHN...

MERDE !

SI ON NE FAIT RIEN BIENTÔT, ON VA SE FAIRE DESCENDRE !

KICK

SI ON NE FAIT PAS QUELQUE CHOSE...

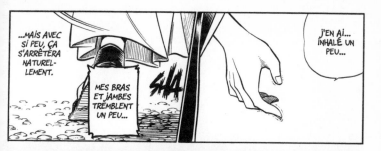

...MAIS AVEC SI PEU, ÇA S'ARRÊTERA NATUREL-LEMENT.

MES BRAS ET JAMBES TREMBLENT UN PEU...

SHH

J'EN AI... INHALÉ UN PEU...

ALLONS PLUTÔT VOIR LE COMMISSAIRE...

* "JINCHÛ", LA VENGEANCE HUMAINE.

"L'HEURE DE LA VENGEANCE HUMAINE..."

58

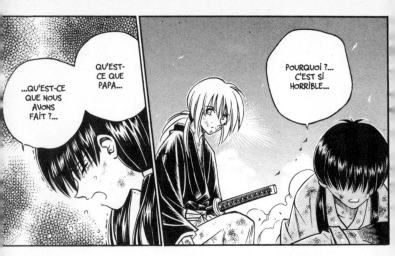

SCÈNE 162

●

SOUVENIRS AU COUCHER DU SOLEIL

CLIK
CLIK

BONJOUR...

...KAORU...

KENSHIN...

...N'EST PAS ENCORE RENTRÉ ?

AH, TSUBA-MÉ.

TU AS BIEN DORMI...

J'AI MAL, KAORU.

SANOSUKÉ A L'AIR D'ÊTRE AU COURANT, MAIS...

À VRAI DIRE JE NE SAIS PAS NON PLUS...

GRRR GRRR

QUAND KENSHIN RENTRERA, JE LUI DEMANDERAI.

QUELQUE CHOSE SE PASSE...

OUI...

TSUBAMÉ CHAN, TU ES PERSPICACE...

JE PENSE QU'IL NE RÉPONDRA PAS, MAIS BON...

JE M'INQUIÈTE PARCE QUE KENSHIN A CETTE TENDANCE À TOUT PRENDRE SUR LE DOS TOUT SEUL !

MAIS C'EST BIIIIIIEN VRAI...

PFF

CES DEUX...

ET KENSHIN...

J'ESPÈRE QU'ILS SERONT HEUREUX...

KAORU...

J'AI FINI.

C'EST BON !

YAHIKO N'ÉTAIT PAS LÀ...

EUH...

TOUT À L'HEURE, SA PORTE ÉTAIT OUVERTE, ET J'AI REGARDÉ MAIS...

AH...

C'EST BIENTÔT L'AUBE.

C'EST UN PEU TÔT, MAIS ON VA RÉVEILLER YAHIKO POUR LE PETIT DÉJEUNER !

BIZARRE...

IL N'A PAS L'HABITUDE DE SE LEVER TÔT...

?

IL
PLEURE...

POURQUOI ?
C'EST SI
HORRIBLE...

QU'EST-
CE QUE
PAPA...

...QU'EST-CE
QUE NOUS
AVONS
FAIT ?...

LA RAISON EST D'AVOIR
CONNU BATTÔSAÏ L'ASSASSIN....

LE DÔJÔ MAEKAWA...

AKABEKO...

J'ARRÊTERAI
BIEN SÛR
LEUR PROCHAINE
ATTAQUE...

C'EST UNE
DÉVASTATION AUSSI
IRRATIONNELLE QUE
RAPPROCHÉE,
ET SANS
DISCRIMI-
NATION...

QUI
EST-CE ?...

AURAIS-TU VU
LE FANTÔME DE
MA SŒUR ?

QU'Y A-T-IL,
BATTÔSAÏ ?

•••

...

MAIS TU...

"OÙ ÉTAIS-JE PASSÉ PENDANT CES ONZE ANS" ?

À SHANGHAÏ.

JE NE VOULAIS PAS VIVRE DANS LE NOUVEAU JAPON DES PATRIOTES...

SHANGHAÏ...
LA VILLE-DÉMON DE L'ORIENT, QUI RÉUNIT LES RICHESSES ET LES DÉSIRS DE L'EST ET DE L'OUEST...

QU'UN ENFANT SEUL PARTE DU JAPON ET RÉUSSISSE À SURVIVRE À SHANGHAÏ EST IMPENSABLE... J'AI BU DE L'EAU BOUEUSE, JE ME SUIS ALIMENTÉ DE CADAVRES, JE SUIS TOMBÉ MALADE D'INNOMBRABLES FOIS ET AI FRÔLÉ LA MORT AUTANT DE FOIS...

APRÈS AVOIR PERDU MA SŒUR, MA FAMILLE A ÉTÉ SÉPARÉE PAR LA GUERRE DE BÔSHIN...

94

...ET TOUT CE JAPON QUE TU AS CONSTRUIT DE TON SABRE SANGLANT.

CEUX QUI SONT PROCHES DE TOI... CEUX QUI ONT ÉCHANGÉ DES MOTS AVEC TOI...

CELA N'EST PAS UNE VENGEANCE, MAIS DE L'ASSASSINAT ! MÊME SI TOMOE DÉSIRAIT LA VENGEANCE, ELLE NE DÉSIRERAIT JAMAIS UN MASSACRE !!

NON ! J'AI COMMIS CE CRIME SEUL, JE DOIS PAYER SEUL POUR CELA !

UN JAPON OÙ MA SŒUR N'EST PAS...

...EST PAR LÀ MÊME COUPABLE.

MA SŒUR N'APPRÉCIAIT PAS LES CHOSES BRUYANTES. ELLE AIMAIT LA TRANQUILLITÉ.

MAIS...

SPIT

BLAST

MAIS SI TU AS DES OBJECTIONS, JE PEUX ÉTENDRE ÇA À TOUTE LA VILLE...

C'EST POURQUOI J'AI CHOISI DES GENS QUI TE HAÏSSENT...

...EN ME LIMITANT À SIX PERSONNES, ET JE N'AI PRIS QUE TOI ET TON ENTOURAGE POUR CIBLES.

LA VRAIE GUERRE AURA LIEU DANS DIX JOURS.

...CETTE DÉCLARATION DE GUERRE FINIT AUJOURD'HUI.

EN TOUT CAS...

OUI.

DANS DIX JOURS !

• • •

QUE DOIS-JE FAIRE ?!!

...IL N'Y A RIEN QUE JE PUISSE FAIRE POUR RÉPARER LA FAUTE DE T'AVOIR ENLEVÉ TA SŒUR ?!!

EN DEHORS DE ÇA... À PART SE BATTRE...

RÉPONDS, ENISHI ?!

TU NE FAIS QUE METTRE DE L'HUILE SUR LE FEU.

...TU T'ACCROCHES ENCORE À CETTE IDÉE ?

TU ES LENT À COMPRENDRE...

CE QUE TU DOIS FAIRE ?...

...TE RÉPONDS INSTANTANÉMENT...

MA SŒUR...

...ATTENDS ENCORE UN PEU.

PLUS QUE DIX JOURS !

OUI...

...MAIS NE T'INQUIÈTE PAS, LA VENGEANCE SERA COMPLÈTE...

HMM...

QUOI ? PLUS VITE ?

EXCUSE-MOI ! ON DOIT ENCORE PRÉPARER QUELQUE CHOSE...

SANS AVOIR TROUVÉ LA RÉPONSE QUI LUI PERMETTRAIT DE PURGER SES CRIMES D'ASSASSIN, KENSHIN DEVRA COMBATTRE ENISHI DANS DIX JOURS.

ENISHI !

GWAP

TOMOE...!!

...CEPENDANT, CE QUE PERSONNE NE SAVAIT À CE MOMENT-LÀ EST QUE CETTE RÉPONSE L'ATTENDAIT À LA FIN DU COMBAT...

...AVEC LA RÉALITÉ LA PLUS CRUELLE POSSIBLE...

108

AH TIENS, EN PLUS J'AVAIS RAPPORTÉ DU BUTIN DE GUERRE...

QUOI ?

TIENS, REGARDE.

FWOP

MAIS C'EST... UN DES DIX SABRES ?... MAIS... "MODÈLE 2" ??

SI ON Y PENSE TRANQUILLEMENT, ÇA COLLE AVEC CE QU'ON NOUS AVAIT DIT...

BUTIN DE GUERRE

AH, C'ÉTAIT DONC UNE "BATAILLE" ?

ET PAS UN ACCIDENT, N'EST-CE PAS ?

L'ENNEMI DE CETTE BATAILLE-CI A UN RAPPORT AVEC SHISHIO... OU ON POURRAIT DU MOINS PENSER QU'ILS EN ONT UN...

109

SCÈNE 164

L'ILLUSION ET
LA RÉALITÉ

C'EST LA PREMIÈRE FOIS QUE JE VOIS...

...UNE TELLE SOUFFRANCE SUR SON VISAGE...

CLING

KA!!

QUE PUIS-JE FAIRE ?...

QUE PUIS-JE FAIRE...

...POUR EXPIER MES CRIMES ?

TOMOE...

ENISHI...

...FOU...

JE DEVIENS ...

JE SERAIS PRIS ET TUÉ PAR LES ILLUSIONS...?

LE DÔJÔ...

JE NE TROUVE PAS LA RÉPONSE...

QUE DOIS-JE FAIRE...?

MÊME S'IL LUI ARRIVE D'AVOIR DES DÉFAITES DANS LE FUTUR...

... IL NE FERA JAMAIS DES ERREURS COMME MOI...

C'EST VRAI...

ENFIN...

...JE DEVRAIS BIEN VOUS RACONTER...

DONC YAHIKO AVAIT SENTI QUE QUELQUE CHOSE SE PASSAIT ?...

●●●

CES BLESSURES...

CETTE TRANSPI-RATION...

BATTONS-NOUS...

NE SONT PAS DES ILLUSIONS...

ET PUIS CETTE DOUCEUR...

JE POURRAI CHERCHER LA RÉPONSE APRÈS...

TOUT EST RÉALITÉ...

JE VEUX PROTÉGER CETTE RÉALITÉ, MÊME CONTRE LES ILLUSIONS...

JE VOULAIS VOUS PARLER...

...DE CETTE NOUVELLE BATAILLE ET DE SON DÉBUT...

LA GUERRE OUVERTE COMMENCERA ICI AU DÔJÔ KAMIYA, DANS DIX JOURS.

CE MATIN...

...LE CHEF DE NOS ENNEMIS EST VENU ME DONNER SA DÉCLARATION DE GUERRE...

LE NOM DE LEUR CHEF EST ENISHI YUKISHIRO...

C'EST MON FRÈRE CADET.

FRÈRE ?!

À VRAI DIRE, MON BEAU-FRÈRE.

...MA FEMME, QUE J'AI TUÉE DE MES PROPRES MAINS...

LE FRÈRE CADET DE TOMOE HIMURA...

C'EST L'HISTOIRE DE LA HAINE MISE DANS CETTE CICATRICE CRUCIFORME...

TOUT A COMMENCÉ PENDANT LE BAKUMATSU...

KYÔTO

PREMIÈRE
ANNÉE
DE L'ÈRE
GENJI
(1864)

...PRESSONS-NOUS UN PEU.

IL SE FAIT TARD...

AH, TU PARLES DE CET ASSASSIN NON IDENTIFIÉ?... EUH, "BATTÔSAÏ L'ASSASSIN", NON?

TAP...

TAP...

CES DERNIERS TEMPS LE NOMBRE D'ASSASSINS RÉELLEMENT FORTS A AUGMENTÉ.

ON NE SAIT MÊME PAS S'IL EXISTE OU PAS... BIENTÔT, LE BAKUFU EN AURA FINI AVEC CES REBELLES.

HEP LÀ! ÇA FAISAIT LONGTEMPS QUE L'ON N'ÉTAIT PAS ALLÉS BOIRE UN BON SAKÉ LE SOIR, NE GÂCHONS PAS CE MOMENT EN PARLANT BOULOT!

OUI...

AU FAIT, KYOSATO, TU TE MARIES FINALEMENT LE MOIS PROCHAIN?

128

MERCI !

TAP

QUEL CHANCEUX !

C'EST CETTE AMIE D'ENFANCE QUI DEVIENDRA TA FEMME, HUM?

QU'EST-CE QUE TU RACONTES !

MAIS JE ME SENS UN PEU MAL... ALORS QUE LE MONDE EST SI TROUBLÉ, MON BONHEUR À MOI TOUT SEUL...

C'EST PLUTÔT DANS UN MONDE COMME ÇA QU'IL FAUT ÊTRE HEUREUX POUR FAIRE VENIR UNE NOUVELLE ÈRE.

SHA

QU'IMPORTE LE MONDE, IL N'Y A AUCUN MAL À CE QUE LES GENS ESSAYENT D'ÊTRE HEUREUX.

VOUS ÊTES BIEN M. JUBEE SHIGEKURA, GOUVERNEUR DE KYÔTÔ ?

135

136

LES QUINZE ANS ENTRE L'ARRIVÉE DES BATEAUX NOIRS DE PERRY ET LA RESTAURATION MEIJI...

LES PARTISANS DE SONNÔ, LES ALLIÉS DU BAKUFU, CEUX À TENDANCE JÔI ET CEUX QUI VOULAIENT OUVRIR LES PORTS... DE NOMBREUSES AMBITIONS ET IDÉAUX DIFFÉRENTS ÉTAIENT MÉLANGÉS SUR CETTE TOILE DE FOND..

TOUS CEUX PORTANT UN SABRE S'ÉTAIENT SÉPARÉS, POUR SOUTENIR LE BAKUFU OU LES ISHINSHISHI, EN COMMENÇANT UNE GUERRE OUVERTE....

C'EST CE QU'ON APPELLE LE "BAKUMATSU" !!

UHH...

JE NE... VEUX PAS MOURIR...

MOU...

GAH...

...ALORS QUE... J'AI CRU QU'ON... SERAIT HEUREUX... TOUJOURS...

ALORS QUE... J'ALLAIS... ME MARIER...

TO...

IL NE NOUS RESTE QU'À ASSISTER, AVEC VOUS...

FLAP

CE N'EST RIEN....

!

VOTRE JOUE GAUCHE, VOUS ÊTES BLESSÉ !

AH, SURVEIL- LANTS... MERCI DE VOTRE TRAVAIL.

...CET HOMME DEVAIT ÊTRE RUDEMENT FORT !

POUR ÊTRE CAPABLE DE VOUS BLESSER AU VISAGE...

SHAN

...ÉTAIT ÉNORME.

...MAIS SON ENVIE DE VIVRE...

...IL N'ÉTAIT PAS TRÈS FORT...

NON...

SHKIII

JE VOUS PRIE DE VOUS OCCUPER DU RESTE.

DANS TA PROCHAINE VIE...

...SOIS HEUREUX...

143

JE N'AI RIEN DIT.

NON.

VOUS AVEZ PARLÉ ?

HM ?

MAIS AUSSI...

OUI...

IL FAUT ÊTRE UN INCROYABLE EXPERT EN SABRE POUR POUVOIR REMARQUER CELA RIEN QU'EN CROISANT LE FER AVEC UN HOMME !

"IL AVAIT UNE ÉNORME ENVIE DE VIVRE"...

...POUR ÊTRE CAPABLE DE TUER SANS MÊME ALTÉRER LE TEINT DE SON VISAGE...

...TOUT EN SACHANT CELA...

SCÈNE 166 ● CHAPITRE DES SOUVENIRS
2 - LA NAISSANCE DE BATTÔSAÏ

* BATTÔSAÏ HIMURA

LA VENGEANCE DIVINE !!

LA VENGEANCE DIVINE !! LA VENGEANCE DIVINE !!
LA VENGEANCE DIVINE !! LA VENGEANCE DIVINE !!

LA VENGEANCE ... LA VENGEANCE.... LA VENGEANCE...
LA VENGEANCE... LA VENGEANCE... LA VENGEANCE...
LA VENGEANCE... LA VENGEANCE... LA VENGEANCE...

DIVINE !! DIVINE !! DIVINE !! DIVINE !! DIVINE !!
DIVINE !! DIVINE !! DIVINE !! DIVINE !! DIVINE !!

KATSURA KOGORÔ

- PERSONNAGE RÉEL, JEUNE CHEF DES PATRIOTES DE CHÔSHÛ, ET PAR SES ACTIONS, GUIDE ET LEADER DE FAIT DU FIEF. PLUS TARD, GRÂCE À L'ALLIANCE AVEC SAIGÔ TAKAMORI, IL FIT DE LA CHUTE DU BAKUFU UNE RÉALITÉ.

- UN DES TROIS GRANDS DU TRIUMVIRAT DES PATRIOTES.

ÇA FAISAIT LONGTEMPS QU'ON NE S'ÉTAIT PARLÉS EN PERSONNE...

TU TE PORTES BIEN ?

HÉ HO, HÉ HO !

OUI. JE PORTE LA MORT PLUTÔT BIEN...

151

HÉ HO !!

DANS CE CAS-LÀ, VEUILLEZ NE PAS M'APPELER.

AH, EN FAIT, CE N'EST PEUT-ÊTRE PAS ASSEZ IMPORTANT POUR DIRE "MISSION"...

QUELLE EST LA MISSION POUR LAQUELLE VOUS M'APPELEZ CE SOIR ?

DURANT SIX MOIS, J'AI ASSASSINÉ PRÈS D'UNE CENTAINE DE PERSONNES.

QUOI QU'ON FASSE POUR CACHER MON EXISTENCE, LE BAKUFU FINIRA PAR LA SENTIR BIENTÔT.

CE NE SERAIT PAS PROFITABLE POUR CHÔSHÛ QUE JE M'APPROCHE DE SON AMBASSADE EN CE MOMENT.

TU PARLES DU SHINSEN-GUMI ?...

EN PARTICULIER LES "LOUPS" QUI SONT APPARUS À MIBU...

LES FORCES DU BAKUFU DEVIENNENT PLUS FORTES CHAQUE JOUR QUI PASSE.

...MAIS EN FORCE RÉELLE, ILS SONT PROBABLEMENT LE PLUS FORT ALLIÉ DU BAKUFU...

JE N'AI PAS ENCORE CROISÉ LE FER AVEC EUX...

WOOP WOOP

ET, EUH, LA MISSION ÉTAIT... ?

J'AI COMPRIS. JE FERAI ATTENTION.

CETTE BANDE SANS LIEN NE PEUT ÊTRE SI...

JE VOUDRAIS TE DEMANDER DE PRENDRE PART À LA RÉUNION AVEC NOUS.

NON, CE N'EST PAS ÇA...

C'EST UN HONNEUR ! TU PEUX ÉCRIRE TON NOM DANS L'HISTOIRE !!

WOOW !! MAIS C'EST MERVEIL-LEUX !!

PER-METTEZ-MOI DE REFUSER.

EN FAIT, CE SOIR, LORS DU FESTIVAL DE GION, NOUS ALLONS FAIRE UNE RÉUNION SECRÈTE DANS UN RESTAURANT.

IL EST PRÉVU QUE TOSHIMARO ET M. MIYABE Y PARTICIPENT.

VOUS VOULEZ QUE JE SOIS DE GARDE ?

SI NOUS POUVONS CRÉER UNE NOUVELLE ÈRE DANS LAQUELLE CHACUN POURRA VIVRE EN TOUTE TRANQUILLITÉ, ÇA ME SUFFIRA AMPLEMENT.

DE PLUS, L'HONNEUR ET LA CHANCE DE LAISSER MON NOM DANS L'HISTOIRE NE M'INTÉRESSENT PAS.

SHAA

UN ASSASSIN DOIT RESTER DANS L'OMBRE, ÇA VAUT MIEUX POUR LES DEUX PARTIES.

H-HÉ !...

...

"BOUFFE" ? C'EST QUOI CETTE FAÇON DE PARLER DE LA PROPOSITION QUE MAÎTRE KATSURA A...

JE NE SAIS PAS SI C'EST À CAUSE DES MEURTRES, MAIS IL A CHANGÉ PAR RAPPORT AU DÉBUT...

ON LUI MET DE LA BOUFFE DEVANT LES YEUX ET IL NE LA PREND MÊME PAS...

ÇA N'A PAS MARCHÉ.

PEU IMPORTE LA FAÇON DE POSER LES MOTS, SI LE PROPOS EST LE MÊME.

MAIS J'AI COMPRIS QUELQUE CHOSE EN LE REVOYANT.

IZUKA A RAISON...

IL A CERTAINEMENT CHANGÉ À L'EXTÉRIEUR, MAIS SON CŒUR RESTE LE MÊME QU'IL ÉTAIT IL Y A UN AN...

YAA !!

TOOH

BLA

BLA

BLA

った が

REGARDE...

JE SUIS VENU EN COURANT DE KYÔTÔ VOIR CE QUE TU AVAIS À ME MONTRER, SHINSAKU, DE QUOI S'AGIT-IL ?

C'EST LE KIHEITAI !!

VOICI CE QUI VA DEVENIR LA NOUVELLE PUISSANCE DES PATRIOTES.

SHINSAKU TAKASUGI

- LE DEUXIÈME À LA TÊTE DES PATRIOTES DE CHÔSHÛ.

- AVEC DES BAGARREURS DE CHÔSHÛ, IL CRÉA LE KIHEITAI ET CONSOLIDA LE CLAN ANTI-BAKUFU DANS LE FIEF.

* ON POUVAIT FAIRE VIVRE UNE FAMILLE ENTIÈRE AVEC 3 RYÔS PAR MOIS (NDT)

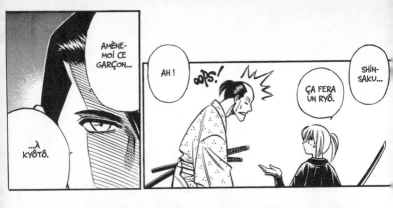

AMÈNE-MOI CE GARÇON...

...À KYÔTÔ.

AH !

oops!

ÇA FERA UN RYÔ.

SHIN-SAKU...

AH BON, C'EST DONC L'ÉCOLE DU HITEN MITSURUGI ?

J'EN AVAIS ENTENDU PARLER, MAIS J'N'ÉTAIS PAS SÛR QUE ÇA EXISTAIT VRAIMENT.

J'AVAIS UNE AUTRE QUESTION...

AS-TU DÉJÀ UTILISÉ CETTE ÉCOLE POUR TUER QUELQU'UN ?

NON.

TU AS COMPRIS...

NOUS PARTONS POUR KYÔTÔ DEMAIN MATIN. TU PEUX TE REPOSER DANS LA CHAMBRE DU HAUT CE SOIR.

SHINSAKU.

J'EMMÈNERAI CE GARÇON AVEC MOI À KYÔTÔ.

STAW...

J'AURAIS VOULU POUVOIR FAIRE AINSI...

POURTANT TU ES BON, TU AS MÊME ÉTÉ PROFESSEUR AU DÔJÔ RENPEÏKAN DE L'ÉCOLE SHINTÔ MUNEN, À EDO...

SI TU AS TANT BESOIN D'ASSASSINS, POURQUOI NE PAS EN DEVENIR UN TOI-MÊME ?

UN EXPERT EN SABRE DE PREMIER ORDRE, N'AYANT PERDU QUE CONTRE RYÔMA SAKAMOTO DE L'ÉCOLE HOKUSHIN ITTÔ...

...MAIS JE SUIS LE CHEF DES PATRIOTES DE CHÔSHÛ.

...POUR QUE TU RESTES UN PALANQUIN PROPRE AVEC DE BELLES PAROLES...

CEPENDANT, DÉTRUIRE LA VIE DE CE GAMIN SI JEUNE POUR ÇA...

QUI VOUDRAIT PORTER OU SUIVRE UN PALANQUIN SALI DE SANG ?

JE VOIS...

TU ES LE BEAU PALANQUIN DU "VILLAGE" DE CHÔSHÛ DANS LA "FÊTE" DU BAKUMATSU.

TENG

...QUOI QUE TU RISQUES, TU NE DEVRAS PLUS JAMAIS DE TA VIE DÉGAINER TON SABRE.

...MÊME SI TON NOM RISQUE DE TOMBER DANS L'OPPROBRE AUX YEUX DES FUTURES GÉNÉRATIONS...

ALORS TU DEVRAS, QUOI QU'IL T'EN COÛTE, MÊME SI TU RISQUES MILLE MORTS...

CECI EST ÉVIDENT...

AUJOURD'HUI EST L'ANNIVERSAIRE DE LA MORT DE KOGORÔ KATSURA, L'EXPERT EN SABRE.

UN AN S'EST ÉCOULÉ DEPUIS...

PENDANT CETTE ANNÉE, IL A PRIS UN AIR PLUS ADULTE...

IL A CHANGÉ.

GLUP!

MAIS SON CŒUR EST EXACTEMENT LE MÊME, SANS AUCUNE SOUILLURE.

C'EST RASSURANT.

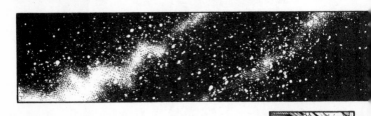

...QU'IL DOIT COMMENCER À RESSENTIR UNE DIFFÉRENCE BRUTALE EN ÉTANT UN ASSASSIN...

MAIS C'EST BIEN PARCE QU'IL N'A AUCUNE SOUILLURE...

CES DERNIERS TEMPS, TOUT CE QUE JE BOIS A LE GOÛT DU SANG...

CE GOÛT...

FREETALK

C'EST WATSUKI. ÇA FAISAIT LONGTEMPS ! LE SYSTÈME DE CHAUFFAGE EST CASSÉ ET JE DOIS UTILISER UN POÊLE EN CE MOMENT. CE QUE JE PRÉFÈRE SONT LES KOTATSU *, MAIS ILS SONT UN TRÉSOR INTERDIT POUR UN MANGAKA QUI SE BAT POUR NE PAS S'ENDORMIR EN PLEIN BOULOT... JE N'EN AI PLUS UTILISÉ DEPUIS LE DÉBUT DE LA SÉRIE. AHH, KOTATSU...

PASSONS AUX CONVERSATIONS HABITUELLES. D'ABORD, LES FIGURINES. JE PENSE QUE CEUX QUI ONT PENSÉ "HOULÀ, WATSUKI EST PARTI EN EAU DE BOUDIN" EN LISANT LE DERNIER FREE TALK SONT NOMBREUX, MAIS JE N'EN SUIS ENCORE PAS DU TOUT LÀ. CE N'EST QUE LE DÉBUT ! QUAND JE REGARDE MES ÉTAGÈRES, ELLES SONT COUVERTES COMME D'HABITUDE DE SURHOMMES ET MONSTRES NÉS AUX ÉTATS-UNIS. MA FIGURINE PRÉFÉRÉE CES DERNIERS TEMPS EST MALEBORGIA DU FILM DE SPAWN. IL A UN PETIT "TALKING-GIMMICK" À L'INTÉRIEUR, DONC QUAND ON LE BOUGE IL RIT "FWA, FWA, FWA, FWA" DE FAÇON NARQUOISE, CE QUI A LE DON D'IRRITER MES ASSISTANTS QUAND JE LE FAIS RIRE PENDANT LE BOULOT.

DEUXIÈME CONVERSATION HABITUELLE, LES JEUX VIDÉO. J'AI JOUÉ À "GEKKA NO KENSHI" (THE LAST BLADE). À VRAI DIRE J'ÉTAIS TROP OCCUPÉ ET JE N'AI DONC PAS EU LE TEMPS DE M'Y METTRE SÉRIEUSEMENT. CE QUE JE VOULAIS C'ÉTAIT JOUER AVEC WASHIZUKA QUI A LA FORCE, ET AVEC MORIYA QUI A LA TECHNIQUE. COMME JE N'AI PAS BEAUCOUP JOUÉ, JE NE PEUX DIRE QUE "ÇA A L'AIR TRÈS BIEN", MAIS EN TOUT CAS LA TECHNIQUE DE WASHIZUKA "SAISHÛ-ROUGA" (LES DERNIERS CROCS DU LOUP) EST SUPERBE ET DONC UN MUST POUR LES FANS DU SHINSENGUMI ! POUR L'AUTRE JEU DE SAMURAÏ DE SNK, "SAMURAÏ SPIRITS" J'AI FINALEMENT JOUÉ AVEC SA DERNIÈRE VERSION. LA MANIABILITÉ EST BIEN DIFFÉRENTE PAR RAPPORT À LA VERSION EN 2D, DONC JE PENSE QUE ÇA ME PRENDRA DU TEMPS POUR M'HABITUER. CELUI-CI AUSSI SEMBLE INTÉRESSANT. LE MONDE DES JEUX VIDÉO EST SUPER EN CE MOMENT ET MÉRITE DONC UNE GRANDE ATTENTION POUR LES JEUX À VENIR. ALLEZ, ANIME !! ALLEZ, MANGA !! (ON DIRAIT QUE JE NE SUIS PAS CONCERNÉ...)

CES DERNIERS TEMPS J'AI SOUVENT L'OCCASION DE PARLER À PLUSIEURS MANGAKA. OU PLUS EXACTEMENT JE TRAVAILLE À ÇA. RIEN QU'ACCOMPAGNER LES VOIES QUE CHACUN PREND , DIFFÉRENTES LES UNES DES AUTRES ET DE CELLE QUE JE SUIS, EST TRÈS UTILE. ÇA ME RAPPELLE SOUVENT DES SOUVENIRS QUI M'OUVRENT LES YEUX, AUSSI. AVEC LES VÉTÉRANS, JE VOIS L'EXPÉRIENCE ET LES LEÇONS DE CEUX QUI ONT TRAVERSÉ BIEN DES DIFFICULTÉS. ET AVEC LES PLUS JEUNES QUI LES SUIVENT, JE REDÉCOUVRE CETTE ÉNERGIE EXPLOSIVE DES DÉBUTS QUI OUVRE DE NOUVEAUX CHEMINS ET LES SENTIMENTS POUR RÉALISER ÇA. AU DÉBUT J'ÉTAIS PLEIN DE DOUTES, MAIS MAINTENANT JE PROFITE DE MA "JEUNE MATURITÉ" (QUOI ? CE N'EST PAS L'IMPRESSION QUE JE DONNE ?)

JE PENSE QUE DANS UN JOUR PAS SI LOINTAIN, LA ROUTE QUE JE SUIS ARRIVERA À UN IMPORTANT TOURNANT. JE NE SAIS PAS ENCORE SI JE TOURNERAI À DROITE, À GAUCHE, CONTINUERAI DROIT DEVANT OU M'ARRÊTERAI POUR FAIRE UNE PAUSE, MAIS J'AI TOUJOURS L'INTENTION DE FAIRE DE MON MIEUX POUR RECHERCHER LA PERFECTION, DANS LE BUT DE SUIVRE LA COMPÉTITION AVEC LES VÉTÉRANS ET LES JEUNES ARTISTES.

DONC, ON SE VOIT DANS LE PROCHAIN VOLUME !

* TABLE CHAUFFANTE

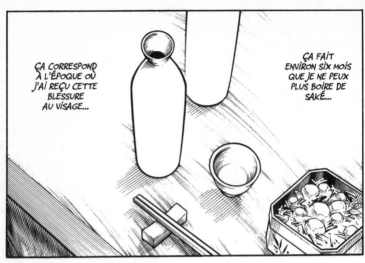

ÇA CORRESPOND À L'ÉPOQUE OÙ J'AI REÇU CETTE BLESSURE AU VISAGE...

ÇA FAIT ENVIRON SIX MOIS QUE JE NE PEUX PLUS BOIRE DE SAKÉ...

CES DERNIERS TEMPS IL N'A QUE LE GOÛT DU SANG...

LE GOÛT NE M'EN A PAS ÉTÉ AGRÉABLE UNE SEULE FOIS...

J'AI APPRIS LE SABRE DE MON MAÎTRE, MAIS J'AI DÛ APPRENDRE À BOIRE PAR MOI-MÊME...

SCÈNE 167

•

CHAPITRE DES SOUVENIRS

3 - UN COUPLE SOUS UNE PLUIE DE SANG

169

BIEN !

IL NE FAUT PAS DIRE DES BÊTISES.

HÉ HÉ HÉ

IL Y EN A QUI L'ONT ÉCHAPPÉ BELLE...

SHHHH

...CAR SI VOUS AVIEZ DÉGAINÉ, J'AURAIS ÉTÉ VOTRE ADVERSAIRE.

CELA EST BIEN VRAI...

!!

QUE...?!

SI VOUS NE VOULEZ PAS MOURIR, QUITTEZ LA VILLE ET PARTEZ DANS LA CAMPAGNE !

KYOTO NE SERA BIENTÔT PLUS UN ENDROIT OÙ DE FAUX PATRIOTES COMME VOUS PEUVENT VIVRE.

UN CONSEIL...

LA SITUATION VA DEVENIR ENCORE PLUS TROUBLÉE...

...

LES FAUX PATRIOTES DOIVENT FICHER LE CAMP DE KYÔTO !!

HOU

URG...

HOU

OUI !! C'EST VRAI !!

AH...

PARDON D'AVOIR FAIT DU BRUIT.

KSHINg

DE RIEN...

MISÈRE !

KLAK

172

MAÎ-
TRE...

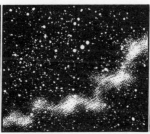

...

AU PRINTEMPS,
LES CERISIERS LE
SOIR. EN ÉTÉ, LE
CIEL ÉTOILÉ.
EN AUTOMNE, LA
PLEINE LUNE. ET EN
HIVER, LA NEIGE...

CELA SUFFIT
À RENDRE
LE SAKÉ
DÉLICIEUX.

...C'EST LA
PREUVE QUE
QUELQUE
CHOSE EST
MALADE
EN TOI.

SI MÊME
COMME ÇA
IL EST
MAUVAIS...

CECI EST BIEN VRAI.

IMBÉCILE ! C'EST LA CHOSE LA PLUS COURANTE À KYÔTÔ DE NOS JOURS !

MAIS C'EST UN ASSAS- SINAT !

EUH...

VOUS ME DÉRANGEZ !

DISPARAISSEZ !

SHIIII

WAKSHH

TU PEUX FAIRE L'INNOCENT, MAIS JE SUIS BIEN INFORMÉ...

QUE ME VOULEZ-VOUS ?...

TU ES BIEN BATTÔSAÏ L'ASSASSIN ?

...ET C'EST JUSTEMENT PARCE QUE JE LE SUIS QUE JE T'AI ATTENDU ICI.

PERSONNE NE PEUT EN AUCUN CAS SAVOIR QUE JE SUIS BÂTTÔSAÏ !!

WID

...

C'EST LA FEMME QUI ÉTAIT DANS LE BAR TOUT À L'HEURE...

J'AI ÉTÉ VU....

ON PARLE SOUVENT DE "PLUIE DE SANG" LORS DE COMBATS VIOLENTS, MAIS...

JE VOUS AI SUIVI POUR VOUS REMERCIER.

184

LA MARCHE
DU DESTIN DE
CES DEUX-LÀ
S'ÉTAIT
SOUDAINEMENT
ENCLENCHÉE
EN CET
INSTANT.

EN TOURNANT,
TOURNANT,
TOURNANT
DE PLUS
EN PLUS...

CHEZ LE MÊME ÉDITEUR

COLLECTION MANGA

COLLECTION KAMÉHA

✪ **MERMAID FOREST (RUMIKO/TAKAHASHI)**

✪ **PINEAPPLE ARMY (URASAWA/KUDO)**

✪ **SANCTUARY (IKEGAMI/FUMIMURA)**
▒ Tomes 1 et 2

✪ **ZED (OKADA/OTOMO)**

✪ **STRIKER (MINAGAWA/FUJIWARA)**
▒ Tomes 1 et 2

✪ **CRYING FREEMAN (IKEGAMI/KOIKE)**
▒ Tomes 1 et 2

✪ **VERSION (HISASHI SAKAGUCHI)**

✪ **IKKYU (HISASHI SAKAGUCHI)**
▒ Tomes 1 à 4

✪ **NEXT STOP (ATSUSHI KAMIJO)**
▒ Tomes 1 et 2

✪ **RAÎKA (TERASHIMA/FUJIWARA)**
▒ Tomes 1 à 5

EGALEMENT CHEZ GLÉNAT

✪ **AKIRA - N&B (KATSUHIRO OTOMO)**
▒ Tomes 1 à 6

✪ **GUNNM GRAND FORMAT (YUKITO KISHIRO)**
▒ Tomes 1 à 4

✪ **NAUSICAÄ (HAYAO MIYAZAKI)**
▒ Tomes 1 à 5

✪ **PRINCESSE MONONOKÉ (HAYAO MIYAZAKI)**
▒ Tomes 1 à 4

✪ **STREET FIGHTER (MASAOMI KANZAKI)**
▒ Tomes 1 à 4